MiNi PASSEPEUR

LA PYRAMIDE DE BERLINGOT LA MOMIE

Créé par
Richard Petit

boomerang

4ᵉ impression : février 2015

Créé par Richard Petit

Dépôt légal : Bibliothèque et Archives
nationales du Québec, 2ᵉ trimestre 2012

ISBN : 978-2-89595-676-1

Imprimé au Canada

Gouvernement du Québec - Programme de crédit d'impôt
pour l'édition de livres - Gestion SODEC

Boomerang éditeur jeunesse remercie la SODEC
pour l'aide accordée à son programme éditorial.

Nous reconnaissons l'aide financière
du gouvernement du Canada par l'entremise
du Fonds du livre du Canada (FLC)
pour nos activités d'édition.

www.boomerangjeunesse.com

MIXTE
Papier issu de
sources responsables
FSC® C103567

Après une belle journée passée à jouer avec ton ami Bobbi, il est temps de se coucher. Mais où est Kokokoko, ton chat? Cherche-le dans la maison, à la page 2.

Page 1

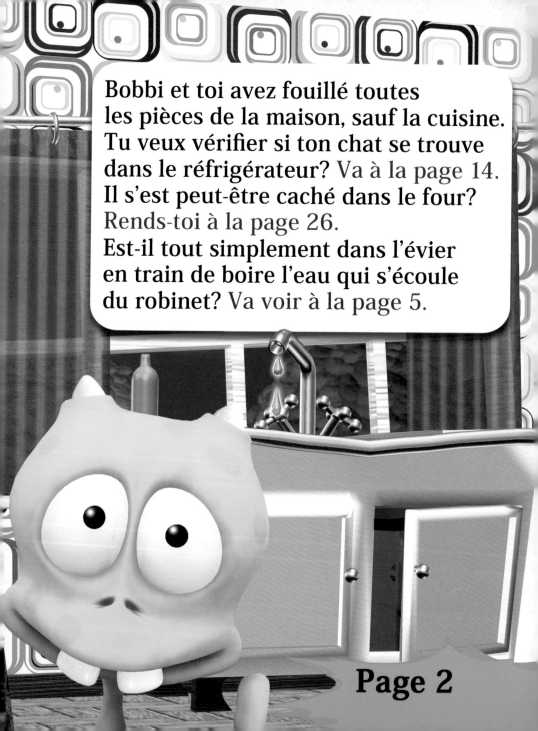

Bobbi et toi avez fouillé toutes les pièces de la maison, sauf la cuisine. Tu veux vérifier si ton chat se trouve dans le réfrigérateur? Va à la page 14. Il s'est peut-être caché dans le four? Rends-toi à la page 26. Est-il tout simplement dans l'évier en train de boire l'eau qui s'écoule du robinet? Va voir à la page 5.

Le jeu de la pyramide de Berlingot la momie

Page 15

Page 17

Page 13

Page 23

Page 33

Retour au début à la page 8

Page 21

Page 35

Page 31

Page 11

Page 34

Page 27

Aïe!

Tourne les pages du livre et arrête-toi au hasard pour savoir combien tu obtiens avec le dé.

Départ

Ensuite, reviens ici, compte les cases à partir du nombre obtenu et rends-toi à la page indiquée.

Page 4

OH NON!
Berlingot la momie
emporte Kokokoko dans
sa pyramide! Il faut le sauver!
Retourne à la page 2
afin de choisir une
autre voie.

Page 5

Le jeu de la pyramide de Berlingot la momie

Page 15

Page 17

Page 13

Page 23

Page 33

Page 35

Retour au début à la page 8

Page 21

Page 31

Page 34

Page 27

Départ

Super!

Tourne les pages du livre et arrête-toi au hasard pour savoir combien tu obtiens avec le dé.

Page 6

Ensuite, reviens ici, compte les cases à partir du nombre obtenu et rends-toi à la page indiquée.

Le jeu de la pyramide de Berlingot la momie

Page 17

Page 23

Page 21

Page 34

Page 27

OH NON!

Pour délivrer Kokokoko, tu dois jouer à un jeu terrifiant. Tourne les pages du livre et arrête-toi au hasard pour savoir combien tu obtiens avec le dé. Ensuite, reviens ici, compte les cases à partir du nombre obtenu et rends-toi à la page indiquée.

Page 8

Tourne les pages du livre et arrête-toi au hasard pour savoir combien tu obtiens avec le dé. Ensuite, reviens ici, compte les cases à partir du nombre obtenu et rends-toi à la page indiquée.

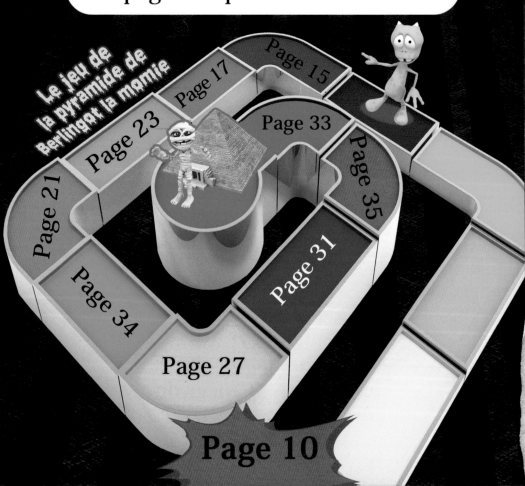

Le jeu de la pyramide de Berlingot la momie

Page 15

Page 17

Page 23

Page 21

Page 33

Page 35

Page 31

Page 34

Page 27

Page 10

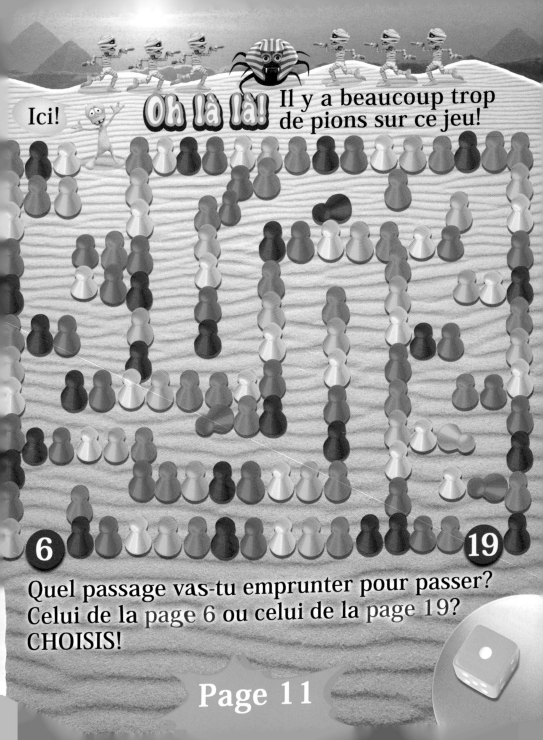

Méga cool!

Tourne les pages du livre et arrête-toi au hasard pour savoir combien tu obtiens avec le dé. Ensuite, reviens ici, compte les cases à partir du nombre obtenu et rends-toi à la page indiquée.

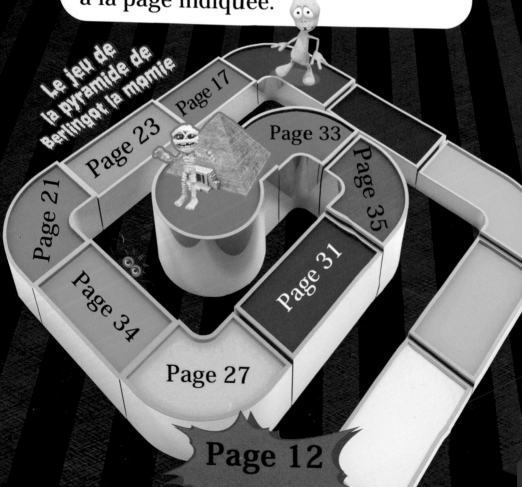

Le jeu de la pyramide de Berlingot la momie

Page 17

Page 23

Page 33

Page 21

Page 35

Page 31

Page 34

Page 27

Page 12

Diable que le temps passe vite...

OH! OH! Les cases de la bande dessinée sont
mélangées! Remets-les dans le bon ordre.
Si tu penses que c'est C, A, D, B,
va à la page 10. Si tu crois que c'est
plutôt D, C, B, A, va à la page 29.

Parmi ces petites bibittes, une seule
n'est pas l'amie des autres. Laquelle?
Si tu penses que c'est Virus, va à la page 32.
Si tu crois plutôt qu'il s'agit de Pizza,
va à la page 12.

Pizza

Virus

Rhume

Toux

Grippe

Page 15

Félicitations!

Tourne les pages du livre et arrête-toi au hasard pour savoir combien tu obtiens avec le dé. Ensuite, reviens ici, compte les cases à partir du nombre obtenu et rends-toi à la page indiquée.

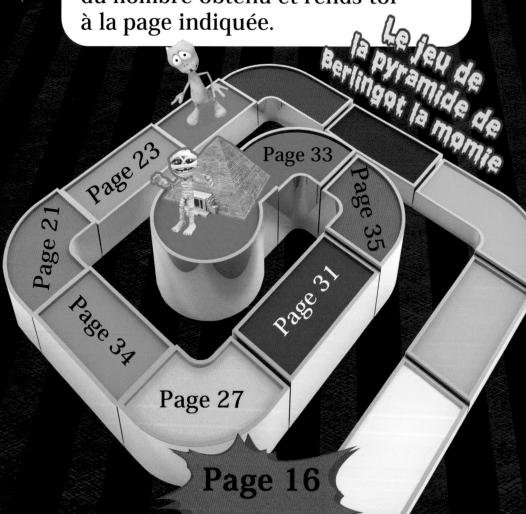

Le jeu de la pyramide de Berlingot la momie

Page 23

Page 33

Page 35

Page 21

Page 31

Page 34

Page 27

Qui a gagné cette partie de tic-tac-toe?
Si tu penses que ce sont les squelettes,
va à la page 8. Tu crois que ce sont
les fantômes? Rends-toi à la page 16.

Page 17

Page 33

Page 35

Page 31

Page 34

Page 27

WOW!

Tourne les pages du livre et arrête-toi au hasard pour savoir combien tu obtiens avec le dé.

Départ

Page 18

Ensuite, reviens ici, compte les cases à partir du nombre obtenu et rends-toi à la page indiquée.

ZUT!

Qu'est-ce qui est écrit ici?

Chaque signe représente
une syllabe.

 = vai

 = fin

 = se

 = mau

Le jeu de la pyramide de Berlingot la momie

Page 33

Page 35

Page 31

Page 27

Départ

Génial!

Tourne les pages du livre et arrête-toi au hasard pour savoir combien tu obtiens avec le dé.

Page 20

Ensuite, reviens ici, compte les cases à partir du nombre obtenu et rends-toi à la page indiquée.

Oh là là! Vous êtes attaqués! Est-ce que ces chevaliers menaçants en armure sont tous identiques? Observe-les bien. Si tu crois qu'ils sont tous pareils, rends-toi à la page 19. Si tu penses qu'ils ne le sont pas, va à la page 18.

Page 21

Oups!

Il y avait vingt-six cubes pour les vingt-six lettres de l'alphabet avant que ces deux petits monstres n'en volent deux. Lesquelles ont-ils volées? Si tu crois qu'ils ont pris les lettres «K» et «S», va à la page 8. Si par contre tu penses qu'ils ont volé les lettres «K» et «R», va à la page 4.

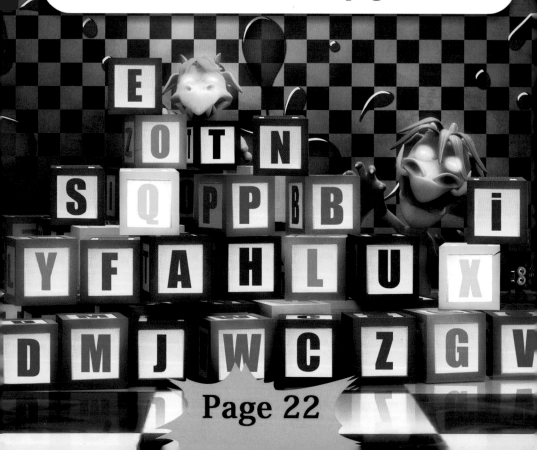

Page 22

Est-ce que tu connais le jeu *Serpents et échelles*?

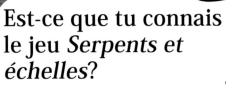

Oui!

Berlingot, lui, préfère te faire jouer à *Vers de terre et escabeaux!*

Zut!

Ici, dans le jeu de la pyramide, tu es malheureusement arrivé sur la case gluante «ver de terre».

Tu glisses en arrière jusqu'à la page 11.

Page 33

Page 35

Page 31

Continue!

Tourne les pages du livre et arrête-toi au hasard pour savoir combien tu obtiens avec le dé.

Départ

Page 24

Ensuite, reviens ici, compte les cases à partir du nombre obtenu et rends-toi à la page indiquée.

Si tu veux libérer tous les chatons, tu dois vaincre Berlingot. Pour réussir, tu n'as qu'à tirer sur la bandelette et le faire tomber. ATTENTION! Une seule des deux bandelettes devant toi est reliée à son pied. Laquelle? Si tu crois que c'est la bandelette «A», va à la page 29. Tu penses que c'est plutôt la «B»? Va dans ce cas à la page 36.

A

B

Mauvaise idée, voyons!

Kokokoko n'est pas là, bien sûr, car à l'intérieur du four il y a un poulet qui cuit. C'EST TROP CHAUD! Attention de ne pas te brûler! Avec Bobbi, tu cours pour aller prendre de l'air frais dehors,

à la page 7.

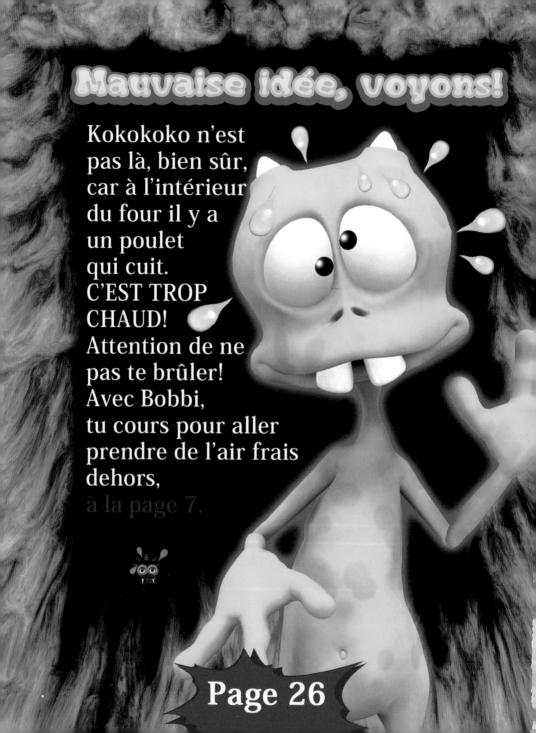

Page 26

Deux de ces groupes de jouets sont identiques. Lesquels? Si tu crois que ce sont les groupes «A» et «D», va à la page 24. Si tu penses que ce sont plutôt les groupes «B» et «C», va alors à la page 32.

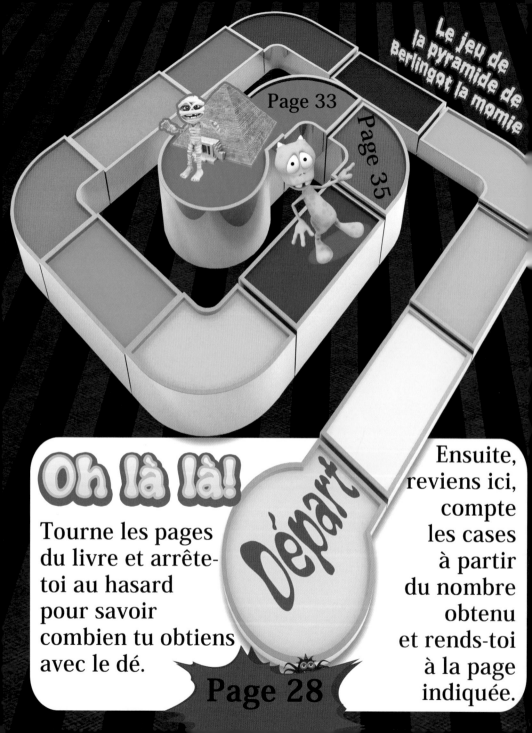

Page 33

Page 35

Oh là là !

Tourne les pages du livre et arrête-toi au hasard pour savoir combien tu obtiens avec le dé.

Départ

Ensuite, reviens ici, compte les cases à partir du nombre obtenu et rends-toi à la page indiquée.

Page 28

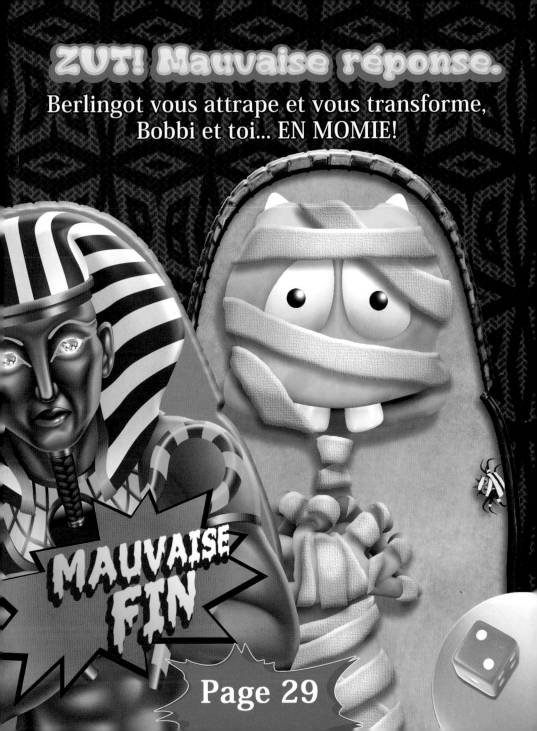

Le jeu de la pyramide de Berlingot la momie

Page 33

Bravo!

Peu importe le nombre que tu obtiendras avec le dé, tu es assuré d'entrer dans la pyramide de Berlingot.

Départ

Alors entres-y vite en allant à la page 33.

Page 30

Mauvaise réponse!

Sur le dos de deux chameaux très lents, Bobbi et toi traversez le désert pour retourner chez vous. Mais ce sera long, très long... TROP LONG!

MAUVAISE FIN

Page 32

Ouaille!

Ce monstre a très faim mais ne peut manger que de la soupe de couleur verte. Quelles soupes dois-tu mélanger dans son chaudron pour le rassasier?

Les soupes rouge et jaune?
Va à la page 29.
Les soupes bleue et jaune?
Va à la page 20.

Voilà! Berlingot a mis un gros bloc de pierre sur votre chemin afin de vous empêcher de passer. Cependant, si tu réussis à trouver laquelle de ces images représente les six faces du cube déplié, tu pourras continuer de jouer. Si tu crois que c'est l'image «A», va à la page 29. Si tu penses que c'est l'image «B», rends-toi à la page 30.

Bravo! Tu as réussi!

Tu as vaincu Berlingot la momie. Grâce à toi, tous les chats du quartier vont rentrer chez eux, ainsi que Kokokoko, ton ami Bobbi et toi...

GRRR!

Prrr! Prrr!

FIN